Arthur Ténor

LES CHEVALIERS EN HERBE

Le monstre aux yeux d'or

illustré par Denise et Claude Millet

GALLIMARD JEUNESSE

A Nathalie,
qui aime les monstres aux yeux d'or

CHAPITRE 1

Mystère au fond des bois

Jean de Jansac court à perdre haleine sur un étroit sentier herbeux qui serpente dans la sombre forêt.

– Pfou ! Pfou ! Je t'aurai, je t'aurai !

Le page du chevalier de la Courtinière s'arrête pour crier :

– Coquin ! Traître ! Reviens ! Je t'arracherai les oreilles... et les poils du museau si tu ne reparais pas sur-le-champ !

Penché en avant, mains sur les genoux, il reprend son souffle en marmonnant sa colère. Sa chevelure brune et bouclée lui tombe devant le visage. Il se redresse en la rejetant d'un geste vif. Il essaie de repérer le fugueur à l'oreille… quand des jappements aigus résonnent au loin.

– Titan ! appelle-t-il, vaguement inquiet.

Il entend approcher l'animal comme un lapin qui détale. Son cœur se met à battre la chamade. Il a beau être un chevalier en herbe, il n'en mène pas large. Il aperçoit enfin Titan qui revient vers lui comme poursuivi par un monstre :

– Kaïe ! Kaïe !

– Titan ! Viens mon chien, viens…

Le minuscule lévrier blanc ne ralentit pas en passant à sa hauteur. Il disparaît au détour du sentier. Jean se gratte le front, perplexe.

– Qu'est-ce qu'il lui prend ? s'interroge-t-il à voix basse.

Sa nature prudente lui commande de rebrousser chemin, mais ce mystère excite terriblement sa curiosité.

– J'y vais ! décide-t-il soudain.

Après tout, il en a vu d'autres... certes, mais jusqu'à ce jour assez peu de monstres. Son imagination s'emballe : à quelle catégorie appartient celui qui l'attend, là-bas, du côté de cet immense trou qu'on appelle le Chaudron de la sorcière ? A pas de loup, passant d'un arbre à un autre, il progresse vers le lieu présumé du mystère. Il s'immobilise... Que signifie ce son étrange qui s'insinue au cœur du silence ? On dirait une plainte.

A l'approche du profond sillon creusé

par un ruisseau aujourd'hui tari, Jean se jette à plat ventre. S'appuyant sur ses coudes, il rampe jusqu'au bord. Là, enfin, il comprend.

– Par saint Michel ! souffle-t-il. Incroyable !

Il se mord les lèvres. Que faire ? Il ne voit qu'une solution : rentrer au château et avertir ses fidèles compagnons d'aventure, Aliénor et Yvain. Il se relève et se sauve au galop.

Sans cesser de courir ni adresser un regard au portier, il franchit le pont-levis du château.

– Holà, Jean ! Où tu vas ? Il est là ton chien ! l'interpelle le garde qui sert contre sa poitrine le petit Titan tremblant comme une feuille.

Mais le garçon a une autre préoccupation en tête. Il fait irruption dans la cour et repère aussitôt son camarade, le page Yvain de Lavandor, et sa chevelure rousse qui lui vaut le surnom de chevalier Flamboyant. Renversé sur les genoux du chef cuisinier, il reçoit une fessée magistrale.

– Sacripant !

– Outch !

– Polisson !

– Ouahtch !

– Yvain… il faut que je te parle, dit Jean essoufflé.

– J'arri... Outch ! Un moment... Ouilla !

Le cuisinier interrompt le châtiment pour demander à Jean :

– T'en veux une, toi aussi ?

– Non, maître Fougasse, répond le page. Continuez, ne vous préoccupez pas de moi.

Pressé d'en finir, le gros homme reprend sa besogne.

– Outch !

– J'ai fait une découverte extraordinaire... incroyable, annonce le page en soufflant sur la boucle brune qui lui tombe sur l'œil.

– Ah ouitch ?

– Cela fait mal ? s'inquiète Jean en considérant la mine empourprée de son jeune ami.

– Nonch !

– Bon. Ça suffira pour cette fois. J'espère que ça te servira de leçon, fripon ! s'exclame le gros homme en libérant le supplicié.

– Oui, maître Fougasse, je promets de ne plus jamais passer mon doigt dans la pâte à choux, répond Yvain en se frottant les fesses.

Satisfait, le cuisinier retourne à ses fourneaux. Yvain adresse un sourire à son ami, page comme lui au château de Montcorbier.

– Alors, c'est quoi ta découverte incroyable ? demande-t-il en rajustant sa cotte.

– Je ne puis le dire à voix haute…

Jean lui glisse la réponse à l'oreille.

– Fichtre Dieu ! Et tu n'as pas hurlé de peur ? s'exclame Yvain.

– Chuuut ! Personne ne doit savoir. Sauf Aliénor. Tu sais où elle est ?

Yvain réfléchit.

– Je dirais chez dame Gertrude, c'est l'heure de sa leçon de luth.

– Allons-y.

Après avoir traversé au pas de course plusieurs salles et couloirs, puis gravi un escalier en colimaçon, les pages s'arrêtent devant la porte d'une des chambres du donjon. Une voix puissante vibre de l'autre côté :

– Non, non, Aliénor ! C'est encore trop vite ! De la légèreté, damoiselle, de la légèreté. Vos doigts doivent être comme de petits oiseaux ! Reprenons…

Yvain s'enhardit à frapper à la porte.

– OUI !

Timidement, les garçons pénètrent dans la vaste pièce. La gouvernante d'Aliénor, debout poings sur les hanches, se retourne. Derrière elle, une fillette blonde se penche pour regarder qui vient d'interrompre la leçon. Aussitôt une expression irritée se forme sur son visage rond. Il est vrai que, lorsque ses deux polissons d'amis apparaissent ainsi, tout essoufflés et empotés, c'est qu'ils ont encore fait une bêtise.

– Eh bien, pages, qu'y a-t-il ? demande dame Gertrude, de sa voix terrifiante.

– Heu... nous... c'est pour..., bafouille Yvain.

Son compagnon, plus habile à expliquer, poursuit :

– Enfin, oui. Voilà de quoi il s'agit, dame Gertrude, commence-t-il avec sérieux. Nous venons pour... Ou plutôt, c'est pour... pour...

– Pour moi ! lance Aliénor. Ils viennent sûrement m'apporter un message important de ma mère, n'est-ce pas, Jean ?

– Oui... enfin, presque ! s'embrouille le page.

Soupçonneuse, la gouvernante ferme un œil à demi :

– Bon, nous vous écoutons, dit-elle.

– Alors voilà, c'est Titan... Il a avalé un os de travers ! ment Jean, soudain inspiré.

– Oh ! J'arrive ! s'écrie Aliénor. Du moins, si dame Gertrude le permet ?

Avant que la femme ait le temps d'articuler une réponse, la fillette lui saute au cou pour la remercier. Elle lui confie son luth et disparaît avec les garçons.

Une fois dans l'escalier, elle apprend l'incroyable nouvelle.

– Ça alors ! dit-elle estomaquée. Tu as bien fait de venir nous chercher, Jean. Allons voir ça !

■ CHAPITRE 2 ■■■

Zyeux d'or

Les deux pages et la fille du seigneur franchissent en courant le pont-levis. Le portier fronce les sourcils, se disant que ces allées et venues cachent sûrement une bêtise. Puis il sourit, se rappelant sa propre enfance.

Au bord du Chaudron de la sorcière, les trois amis se mettent à plat ventre sur l'humus pour observer la « découverte » extraordinaire de Jean.

– Il est mort ? s'inquiète Yvain à voix basse.

– Non, mais sa respiration est faible, répond Aliénor.

– Il doit avoir mal, dit l'autre page en grimaçant comme s'il était lui-même blessé.

– J'ai une idée ! s'exclame soudain la fillette. Yvain, cours vite aux cuisines et demande à maître Fougasse un quartier de viande.

Le garçon pâlit.

– C'est que…

– Vole-le s'il le faut ! Et dis-toi que c'est une question de vie ou de mort.

– Toi, Jean, tu ramèneras de l'eau dans une gourde et une peau de bique pour le couvrir. Moi, je reste…

– Est-ce bien prudent ? s'inquiète Jean.

– Mais oui ! Allez, mes chevaliers. J'ai confiance en vous.

Les garçons se relèvent et s'éloignent en courant mollement. Yvain est vert à l'idée de ce qui l'attend dans l'antre fumant de maître Fougasse…

Après avoir longuement observé la « découverte », Aliénor se laisse lentement glisser dans le trou. Elle s'approche d'une masse grise dans l'herbe, puis s'assoit sur ses talons. Devant elle, couché sur le flanc, un superbe loup agonise. Sa patte antérieure droite est prise dans les mâchoires d'un piège à renard. Le souffle de l'animal est rapide, il doit souffrir atrocement. Aliénor ne peut supporter cela plus longtemps. Oubliant toute prudence, elle s'approche du piège pour l'ouvrir. Après une lutte acharnée, elle parvient enfin à libérer la patte du loup qui émet un long gémissement de soulagement.

Épuisée, la malheureuse bête est incapable de se relever. Aliénor se met à la caresser en lui parlant doucement, comme à son chien Altaïr le jour où il avait fait une indigestion de saucisses...

Dans le même temps, les vaillants chevaliers en herbe approchent de la cuisine dans laquelle résonne la voix bourrue de maître Fougasse. Ils s'arrêtent à quelques pas du seuil.

– Bien, Yvain, à toi de jouer. Moi, je vais chercher la gourde et la peau. Courage, chevalier ! fait Jean en posant une main sur l'épaule de son compagnon.

– Quoi ? Tu ne viens pas m'aider ? fait ce dernier, en le fusillant du regard.

– Je vais prier pour ton salut. Tu sais bien que je n'aspire pas à être un héros, comme toi. Mais peut-être que cette petite mission te fait peur ?

Rusé Jean, il sait toujours trouver la pique qui fait avancer le preux chevalier Flamboyant. Celui-ci grommelle un juron guerrier, puis pénètre dans la caverne aux délices… et aux supplices pour gourmands. Yvain est déjà saisi par la tentation. L'eau lui monte à la bouche en s'approchant de l'âtre où un tout jeune marmiton, torse nu, actionne le tournebroche sur lequel grille un mouton entier. Un éclat de voix fait se retourner le page… Ouf ! ce n'est pas lui qu'on interpelle. Maître Fougasse s'en prend au pâtissier qui étale la pâte sur la longue table de travail. Celle-ci est couverte de victuailles : une oie plumée, un énorme pâté de perdrix, des fruits, des œufs… Paf ! Paf ! Un aide frappe avec un battoir un quartier de viande rouge pour l'attendrir. Yvain se demande comment il va pouvoir en voler un mor-

ceau. C'est alors qu'une servante abandonne sur un tabouret une grosse et grasse poule plumée. Le garçon parvient à se glisser sous la table sans se faire remarquer…

Peu après, il retrouve son compagnon dans la cour. Mission accomplie ! Les pages quittent à nouveau le château au pas de course.

– Cette fois, maître Fougasse m'arrachera les oreilles, dit Yvain qui serre sous sa chemise son volumineux larcin.

– Tu n'étais pas obligé de prendre toute la bête, lui fait remarquer Jean qui de son côté porte une gourde enroulée dans une peau de chèvre.

– J'aurais voulu t'y voir ! réplique Yvain.

– Si ça avait été moi, j'aurais négocié...

– Si ça avait été toi, on y serait encore !

Ils ne s'adresseront plus la parole jusqu'au Chaudron de la sorcière. En apercevant leur amie près du carnassier, ils restent bouche bée, autant de stupeur que de frayeur. La fillette est en train de fixer à la patte blessée du loup une attelle improvisée avec deux branches et les lacets de sa tresse.

– Aliénor, es-tu folle ? Tu vas te faire croquer ! lance Jean.

– Ah, enfin ! Vous en avez mis du temps, rouspète la fillette. Descendez ici et vite, la pauvre n'a presque plus de force...

– La pauvre ? répète Yvain en dévalant la pente de la ravine.

– Oui, c'est une louve. Regardez comme elle a de beaux yeux.

– Hum, fait Yvain qui ajoute : il n'y a pas que les filles qui ont de beaux yeux...

Aliénor hausse les épaules et lui réclame la gourde. La louve accueille le filet d'eau avec une longue langue rose avide. Puis Yvain lui insinue entre les crocs de petits morceaux de volaille qu'elle avale, certes avec difficulté, mais avec un plaisir évident.

– Attention à tes doigts, prévient Jean resté en retrait.

– Mais non, elle n'est pas méchante...

La louve lève brusquement la tête, provoquant un sauve-qui-peut général.

– Pfff ! Ce qu'on est peureux ! grommelle Jean.

– Surtout toi, dit Yvain.

– Tu ne t'es pas vu déguerpir !

– Je n'ai pas déguerpi, je t'ai suivi !

– Il suffit, les pages ! s'agace Aliénor. Vous feriez mieux d'utiliser votre cervelle à réfléchir plutôt qu'à vous chamailler. Que va-t-on faire de la louve ?

– D'abord, il faut lui donner un nom, dit Jean.

– J'ai déjà trouvé : Zyeux d'or ! propose Aliénor.

Les garçons se concertent du regard, comme s'ils pouvaient encore donner un avis, puis acquiescent.

– Et maintenant, il faudrait trouver un endroit où cacher Zyeux d'or jusqu'à ce qu'elle puisse marcher à nouveau, dit Aliénor.

– On pourrait lui construire une cabane, propose Yvain.

– Et si les enfants du village la trouvent ? interroge Jean. Ils viennent souvent fureter par ici.

– Alors nous la construirons dans un arbre, propose le chevalier Flamboyant, comme ça personne ne la verra.

– Bonne idée, Yvain, et tu peux nous dire combien de temps cela va prendre de percher une cabane dans un arbre ? demande Aliénor.

Le garçon hausse les épaules et se tait.

Tout en réfléchissant, les enfants caressent avec prudence la louve qui ferme à demi les yeux.

– Si on la laisse là, elle va mourir, soupire Aliénor.

– Je verrais bien une solution, dit Yvain, mais elle est plutôt dangereuse…

Ses amis n'ont pas besoin de l'interroger pour deviner son idée, car ils ont eu la même.

– C'est impossible, tu le sais bien, dit la fillette tristement.

– Pas pour le chevalier Flamboyant ! s'exclame Yvain. Si vous avez peur, retournez au château. Je m'occuperai seul de Zyeux d'or.

– Pour le chevalier Noir non plus, rien n'est impossible ! proclame Jean pour ne pas être en reste. Même les vraies sottises, ajoute-t-il en baissant la voix.

– D'accord ! Mettons l'affaire au point ! propose Aliénor avec grand sérieux.

■■■ CHAPITRE 3 ■

Un parfum d'épouvante

Le portier du château de Montcorbier observe avec amusement les trois enfants de retour de leur escapade en forêt. La fatigue commence à se faire sentir à en juger par leur démarche moins rapide, surtout chez les garçons qui affichent une superbe mine coquelicot.

– Hé ! Hé ! les marmots, qu'est-ce donc que vous faites ? lance-t-il.

– Rien, soldat Lapouge, on joue ! répond Aliénor en franchissant la herse sans s'arrêter.

Ils disparaissent dans l'enceinte du château, mais les revoici bientôt tirant une petite charrette.

– Vous allez chercher quoi avec ça ? demande le portier.

– Des fagots pour Suzon. On aide ! répond Aliénor.

Le pont-levis passé, elle ordonne aux pages de forcer l'allure.

– Dis donc, Aliénor, je te rappelle qu'on est des chevaliers, pas des chevaux, lui fait remarquer Jean.

– Des mulets, veux-tu dire ! rectifie la fillette qui éclate de rire.

Les garçons s'arrêtent, échangent un regard et la même pensée....

Un peu plus loin, sur le chemin descendant en pente douce vers la forêt, Aliénor proteste avec vigueur :

– Traîtres ! Vils goujats ! C'est indigne de traiter ainsi votre princesse. Je le dirai à mon père.

Les garçons pouffent de rire, confortablement installés dans la charrette que tire… Aliénor. A l'entrée du sentier, ils inversent les rôles et c'est réconciliés qu'ils retrouvent la belle aux yeux d'or.

– Elle a l'air d'aller mieux, constate Yvain.

– Si elle n'avait pas une patte abîmée, elle pourrait presque rentrer chez elle, regrette Jean.

– Bon, les chevaliers, assez bavardé. Chargeons la bête.

Bientôt la louve se retrouve au fond de la charrette, dissimulée par des branchages.

Quand on entre dans le château de Montcorbier, on découvre d'abord la basse cour dominée par le donjon. C'est un vrai petit village avec ses artisans, ses poulets en liberté, ses habitants qui circulent en tous sens.

Au-delà d'un second portail auquel on accède par un chemin pentu se trouve la cour haute réservée au seigneur et à ses hommes d'armes. Le château se pro-

longe par une langue de terre menant à des ruines, vestiges d'une aile sud dévastée lors d'un siège.

Aliénor et les pages, poussant leur charrette remplie de petit bois à brûler, traversent la basse cour, longent le potager… Leur périple se poursuit jusqu'à l'extrémité sud de la forteresse qui a longtemps servi de réserve de pierres. Il n'en reste que quelques pans de mur et une grosse tour carrée appelée le Vieux donjon. Arrivés là, ils se dépêchent d'enlever les branches qui dissimulaient Zyeux d'or et de transporter la pauvre bête gémissante dans une chambre du premier étage. La vieille porte de chêne ne ferme plus à clé, mais elle pivote encore sur ses gonds... une bien maigre sécurité.

– Ici, personne ne te trouvera, dit Aliénor en caressant la tête de la louve.

Les pages l'ont installée sur la peau de chèvre, devant la cheminée. Ils déposent près d'elle une écuelle d'eau et la poule.

– Qu'est-ce qui se passera si on la trouve ? s'inquiète Jean.

– Tu tiens vraiment à le savoir ? répond Yvain.

Après une dernière caresse, les enfants quittent à regret leur protégée.

Il était temps qu'ils regagnent la partie habitée du château, car dans la cour haute règne une grande agitation. Le seigneur Hubert de Montcorbier s'apprête à partir à la chasse. Il a déjà enfourché son destrier et porte son faucon sur le poing. Plusieurs de ses chevaliers, dont Imbault de la Courtinière, le maître de Jean, montent en selle à leur tour.

– Ah ! Te voici, Yvain ! s'exclame le seigneur. Où étais-tu ? Ne t'avais-je pas prévenu que j'allais chasser ce matin ?

– Heu... Ah oui, maître, cela me revient ! répond Yvain en prenant un air innocent.

– Approche...

Yvain se précipite, tandis que Jean se dépêche d'aller rejoindre son chevalier. Soudain, la monture du châtelain se met à piaffer et à hennir.

– Holà ! Tout doux ! fait le cavalier.

Mais la bête est comme prise de folie. Les autres chevaux du groupe se mettent à taper nerveusement le sol du sabot.

– Mordieu ! Qu'est-ce qui leur prend à ces bêtes ? s'agace le seigneur.

Aliénor, qui observe la scène à l'écart, se précipite vers Yvain et lui glisse à l'oreille :

– Nous empestons le loup, c'est pour cela que les chevaux s'affolent.

– Tu as raison ! répond Yvain en se reniflant le bras.

Son geste n'échappe pas au maître. Un chevalier est désarçonné tandis qu'un autre ne peut retenir sa monture qui part au galop vers le portail.

– Ma parole, c'est vous qui leur faites peur ! s'écrie le seigneur en tirant avec force sur les rênes. Vous sentez le loup ou quoi ?

– Oh non, mon père, s'empresse de répondre Aliénor, mais peut-être un peu le sanglier. Nous en avons recueilli un jeune, ce matin, et…

– Nous le mangerons ce soir ! s'écrie le seigneur.

Puis il lance le signal du départ.

Les chasseurs quittent le château comme une troupe partant à l'assaut. Les enfants poussent des ouf ! de soulagement, mais il va leur falloir trouver un sanglier d'ici ce soir.

CHAPITRE 4

La nuit de la pleine lune

Trouver un sanglier ne fut pas une mince affaire. Moyennant quelques piécettes et friandises, ils ont réussi à soudoyer des enfants du village qui leur ont trouvé… un marcassin. Ils sont fiers de leur trouvaille qu'ils ramènent au château, trottinant au bout d'une ficelle. Mais en apercevant maître Fougasse par la porte ouverte de sa cuisine, leur joie retombe d'un coup. Il est en train d'aiguiser l'un contre l'autre deux énormes coutelas.

– Allez-y, moi je n'ai pas le courage, déclare Jean.

Yvain regarde le bébé sanglier qu'il tient en laisse. Il l'imagine sur un plat, une pomme sous le groin, au milieu des girolles de la sauce.

– Moi non plus, je ne peux pas aller plus loin.

Aliénor pousse un soupir d'exaspération.

– Laissez-moi faire !

Elle s'empare de la corde et s'éloigne vers la cuisine. Maître Fougasse sort sur le seuil, un coutelas dressé dans chaque main. Son visage se fend d'un large sourire.

– Oh, mes aïeux, le beau petit rôti ! C'est pour moi ?

Aliénor s'arrête. Le marcassin vient se frotter contre ses mollets.

– Euh… mn, mn, monnnn, ne peuvent que balbutier les lèvres tremblantes de la fillette.

– Apporte-le-moi ! Je vais te le faire aux pommes, le joli !

– NOOON ! hurle la fillette.

Dix secondes plus tard, le soldat Lapouge voit passer devant sa guérite trois comètes et une boule de poils bruns… qui filent vers la forêt.

Le soir venu, un grand repas est organisé par le seigneur pour fêter sa chasse qui fut excellente. Par bonheur, il a complètement oublié l'incident du matin. Écartant les bras, il raconte d'une voix forte comment son faucon a fondu sur un lièvre et l'a saisi à la nuque pour ne plus le lâcher. Il est interrompu par les trompettes de l'orchestre qui, sur la tribune, annoncent l'arrivée du festin. Tout le monde se tait alors. Les yeux brillants d'appétit, chacun admire les plats qu'une procession de serviteurs vient présenter : potages fumants, anguilles farcies, cygnes rôtis... Des applaudissements marquent le début du service. Tout sourire, les pages versent le vin aux convives. Passant devant la table d'honneur recouverte d'une belle nappe blanche, Yvain adresse un discret clin d'œil à Aliénor. Elle est assise entre sa mère et sa gouvernante.

– Alors, ma fille, t'es-tu bien instruite ce jour ? demande Marguerite de Montcorbier.

– Certes, ma mère, certes, répond Aliénor en jouant les dames.

– Je confirme ! lance dame Gertrude de sa grosse voix. Aliénor a fait de gros progrès en luth. Et j'ai pu voir de ma fenêtre, aussi en course à pied. N'est-ce pas, petite damoiselle ?

Aliénor ne s'attendait pas à cette allusion sur sa journée mouvementée. Elle tourne un regard inquiet vers sa gouvernante.

– Oui, dame Gertrude, répond-elle d'une voix fluette.

Le repas avance, joyeux, succulent. Un montreur d'ours fait un spectacle qui ravit petits et grands, surtout quand l'énorme bête se met à marcher sur ses pattes antérieures.

Tout va pour le mieux, jusqu'au moment où...

– Il va falloir aller te coucher, Aliénor, annonce la dame de Montcorbier.

– Oh, déjà mère ?

– Eh oui, déjà. Surtout que, cette nuit, c'est la pleine lune et il est toujours plus difficile de s'endormir. N'est-il pas vrai, dame Gertrude ?

– Pour sûr ! Les loups vont hurler ! Il faut aller vous coucher, chère Aliénor… Ça ne va pas ? s'inquiète la gouvernante.

La fillette est toute pâle et ouvre de grands yeux ronds.

La lune monte dans le ciel, lentement, sûrement… Le château est plongé dans un profond sommeil. Seuls trois enfants ne dorment pas, ou plutôt font de terribles efforts pour rester éveillés. Et ce qu'ils redoutaient finit par se produire :

– OÜÜÜÜHHH ! ! ! OÜÜÜÜHHH ! ! !

Une longue plainte déchire le silence de la forteresse. Presque aussitôt, très loin dans la campagne, lui répondent d'autres hurlements de loups. Aliénor bondit de son lit. Jean et Yvain font de même de leur côté. Ils n'y a pas une seconde à perdre…

– OÜÜÜÜHHH ! ! ! OÜÜÜÜHHH ! ! !

– Mon Dieu, protégez-nous, murmure Aliénor en quittant sa chambre en chemise et mules de soie.

– OÜÜÜÜHHH ! ! ! OÜÜÜÜHHH ! ! !

Le château commence à se réveiller. Les pages retrouvent leur amie dans la cour encore déserte.

– Vite, au Vieux donjon ! lance Aliénor.

– C'est la catastrophe, la fin du monde ! se lamente Yvain tout en courant.

– Le Jugement dernier ! confirme Jean obligé de courir en tenant son pantalon qui lui tombe sur les fesses.

Après une course folle, ils surgissent dans la chambre du Vieux donjon.

– OÜÜÜÜHHH ! ! !

Zyeux d'or, debout face à la fenêtre au centre de laquelle se découpe la pleine lune, hurle à la mort.

– Chuuut ! fait Aliénor en s'accroupissant près d'elle.

La louve consent à se laisser caresser. Elle couvre de grands coups de langue le visage des enfants qui en rient de bonheur. Mais, bientôt, il faut songer à retourner au lit.

– On ne peut pas rester ici toute la nuit, dit Aliénor.

– Non, mais si on s'en va, elle va recommencer, fait remarquer Yvain.

– Et si elle recommence, elle finira en

trophée au-dessus d'une cheminée, conclut Jean.

– Alors ? interroge Aliénor.

– Alors, je reste, annonce Yvain.

– Es-tu fou ?

– Tout juste. C'est pourquoi je me sacrifie.

– Non, non. Moi, je suis plus fou que toi et ton aîné d'un mois, déclare Jean. C'est donc moi qui resterai !

– Oubliez-vous qui je suis ? dit à son tour Aliénor. Je suis la fille du seigneur de Montcorbier, votre suzeraine et votre princesse. C'est à moi de rester pour veiller sur Zyeux d'or, tandis que vous…

– Non, damoiselle ! la coupe Yvain.

– De toute façon je reste, c'est dit ! s'énerve Jean.

Les esprits s'échauffent jusqu'au moment où… OÜÜÜÜHHH ! Zyeux d'or les réconcilie.

■ CHAPITRE 5 ■■■

La terrible punition

Aux premières lueurs de l'aube, Aliénor et ses chevaliers en herbe sont réveillés en sursaut par des aboiements et des cris :

– Aliénor ! Yvain ! Jean ! hurle-t-on un peu partout dans le château.

– Pardieu ! C'est nous qu'on cherche ! s'exclame Jean en se levant d'un bond.

Ils se sont endormis les uns contre les autres près de la louve.

– Mon Dieu, que va-t-on nous faire ? se lamente Aliénor.

– Pour ce qui me concerne, avant ce soir je n'aurai plus d'oreilles, assure Jean.

– Moi, je crois que sire Hubert va m'arracher la tête, dit Yvain en se massant le cou.

– Ceci n'est rien en comparaison de ce qui m'attend : dame Gertrude jour et nuit durant un an…

– De toute façon, il ne faut pas rester ici, cela mettrait Zyeux d'or en danger, dit Jean. En chemin, nous trouverons bien quelque chose à raconter…

C'est un véritable tribunal qui reçoit les trois enfants dans la grande salle. Dans son fauteuil d'audience, le seigneur de Montcorbier affiche une mine orageuse. Dame Marguerite est assise à sa gauche, visiblement anxieuse, et debout à côté d'elle se tient la gouvernante, raide comme un menhir. Les enfants sanglotent doucement, tête baissée.

– Je vous écoute ! lâche sèchement le seigneur. J'espère que le sérieux de votre explication sera à la hauteur de la frayeur que vous nous avez causée.

Aliénor s'enhardit :

– Eh bien voilà, père, tout est de ma faute…

– Pardon, damoiselle, c'est moi qui ai eu l'idée le premier, la coupe Yvain.

– Ne serait-ce pas plutôt moi ? fait Jean en reniflant.

Piquée au vif, Aliénor contre-attaque :

– Oh ! Menteurs ! C'est moi qui vous ai proposé de jouer au fantôme !

– Certes, mais qui a eu l'idée de se retrouver la nuit dans la cour, hein ? rétorque Jean.

– C'est moi ! répond Yvain presque en criant.

– Mais non, c'est moi ! s'insurge Aliénor.

La dispute s'envenime. Le seigneur soupire, adresse un regard las à son épouse, puis frappe l'accoudoir de son fauteuil :

– Il suffit ! Voici mon verdict... sept jours consignés en vos chambres. Prières, jeûne et étude au programme. C'est dit !

Les enfants prennent un air épouvanté. Sept jours sans sortir, c'est condamner Zyeux d'or à mourir de faim et de soif. Alors, dans un même élan, ils se jettent aux pieds du seigneur :

– Pas ça, mon père, pas ça ! pleure Aliénor.

– Arrachez-moi plutôt la tête ! supplie Yvain.

– Mes oreilles, allongez mes oreilles ! implore Jean.

Et l'on entend encore : « Bâtonnez-nous ! Privez-nous de gâteau ! Mettez-nous dans une oubliette un jour entier ! », « Mais ne nous privez pas de sortie ! » Hélas ! Rien ne peut infléchir la décision du seigneur. Il faudra deux gardes par enfant pour les conduire à leur prison.

Sept jours passent. Sept jours de pleurs et d'angoisse. Aliénor, accoudée à sa fenêtre, le teint pâle, les yeux cernés de fatigue, n'entend pas claquer la serrure de sa chambre-cellule. Elle sursaute lorsque dame Gertrude lui touche l'épaule :

– Allons, damoiselle, réjouissez-vous, la sentence prend fin aujourd'hui.

La fillette hausse les épaules, comme indifférente.

– Je vous assure qu'il n'y avait pas de quoi être si malheureuse, continue la gouvernante en prenant Aliénor dans ses bras. Je ne vous ai pas trop malmenée, n'est-ce pas ?

La fillette sanglote contre l'épaule de la femme. C'est vrai qu'elle a été gentille, et même tendre… Mais comment pourrait-elle comprendre la cause réelle du chagrin de sa petite élève ?

– Je vous ai amené des visiteurs. Puis-je les faire entrer ? demande-t-elle.

– Oui, dame Gertrude, répond Aliénor en prenant sa voix fluette des jours de gros chagrin.

– Vous pouvez entrer, messires pages !

Yvain et Jean pénètrent dans la chambre. Eux aussi ont le teint blême et les yeux cernés. Ils tombent dans les bras les uns des autres de chagrin. Dame Gertrude les observe, un bienveillant sourire aux lèvres.

– Allez ! Maintenant, finie la punition, finies les larmes. Allez jouer dehors. Il fait très beau…

Silencieux, les enfants quittent la pièce. Une fois dans l'escalier, Aliénor dit :

– Vite, allons au Vieux donjon. Il n'est peut-être pas trop tard !

– Tu as raison ! Courons ! approuve Jean.

Trois petites silhouettes surgissent du logis seigneurial et traversent la cour à toutes jambes. Elles foncent jusqu'aux ruines de l'ancien château, font irruption dans la chambre de Zyeux d'or…

– Dieu tout-puissant ! souffle Aliénor.

Jean se mord les lèvres. Yvain se prend le front.

CHAPITRE 6

L'embarras du soldat Lapouge

La chambre est vide. La gamelle de Zyeux d'or est renversée, le sol jonché d'ossements…

– Elle s'est échappée ? s'interroge Yvain.

Jean s'approche de la fenêtre.

– Pas par là en tout cas, pas avec sa patte blessée.

– Et elle n'est pas non plus sortie par la porte, elle était fermée quand on est arrivés, ajoute Aliénor.

Alors ? C'est à n'y rien comprendre, se disent-ils. Certes, ils sont soulagés de n'avoir pas trouvé de cadavre desséché, mais terriblement inquiets sur le sort de leur amie.

– Quelqu'un l'a enlevée, je ne vois que cette explication, déclare Jean.

– Sans doute, mais qui ? demande Yvain.

Une réponse s'impose en même temps dans les trois cervelles. Et le même nom sort de leur bouche :

– Le soldat Lapouge !

– Allons le voir ! s'exclame Jean.

En arrivant sous le châtelet d'entrée de la forteresse, les enfants ont la mauvaise surprise de ne pas trouver le soldat à son poste. Un autre portier garde le pont-levis et leur annonce :

– Lapouge ! Ah ben, il est aux cachots…

– AU CACHOT ! réagissent d'une seule voix les trois enfants.

Le soldat a une réaction de surprise, puis sourit :

– Holà ! Du calme. Le capitaine l'a affecté à la garde des cachots, c'est tout.

– Il y a des prisonniers en ce moment ? demande Jean.

– Trois ! Des guetteurs qui chantaient sur le chemin de ronde, soûls comme des cochons ! Comme ça, mon Lapouge va pouvoir se reposer.

– Pourquoi, il est fatigué ? demande Aliénor.

– Ben… c'est surtout que, le pauvre, il peut plus faire tourner la manivelle du pont-levis. Vous z'êtes pas au courant ?

– Nooon ! répondent en chœur les enfants.

– Y s'est fait mordre à la main, par un chien.

Les trois amis échangent des regards à la fois inquiets et plein d'espoir. Mais Jean se rembrunit soudain.

– Et qu'est-ce qu'il est devenu le... le chien ? demande-t-il.

– Couic ! fait le soldat avec un geste du pouce en travers de la gorge.

Et il éclate de rire, comme si cela pouvait être drôle. Les enfants le remercient, puis s'éloignent, accablés de tristesse.

– Alors c'est fini, murmure Aliénor qui se sent terriblement responsable de ce drame.

– Pas sûr. Allons trouver le soldat Lapouge ! propose Jean.

– Bonne idée, allons-y vite ! approuve Yvain avec vigueur.

Ils courent vers le donjon, pénètrent en trombe dans la salle de garde. Là, Jean arrête ses amis pour leur conseiller de « se faire petits comme des souris ». En effet, les salles basses du donjon sont interdites aux enfants, même aux preux chevaliers en herbe. En silence, ils commencent l'inquiétante descente d'un escalier en colimaçon. L'air fraîchit rapidement. Une forte odeur de moisi flotte dans l'air humide. Ils parviennent enfin devant une grosse porte cloutée. Doucement, ils la poussent...

Ils trouvent le portier, debout au milieu d'un couloir sombre, bordé de chaque côté par les portes des cachots. L'une d'elles est ouverte. Il accueille les enfants avec un air surpris :

– Oh, les marmots, qu'est-ce que vous faites là ?

– Rien, soldat Lapouge, on vient vous dire bonjour, explique Aliénor.

Les enfants regardent le bandage de toile que l'homme porte à la main droite.

– Allez, filez, j'ai du travail, dit-il en baissant la voix comme s'il craignait d'être entendu.

Les enfants se regardent. Aucun n'ose aborder le sujet qui les amène. Le soldat fronce les sourcils et lâche toujours à voix basse :

– Je vous verrai une autre fois, allez, pchitt !

– C'est à propos de qui vous savez, s'enhardit Aliénor.

Le portier se gratte le crâne sous son casque. Il paraît embarrassé.

– Nous aimerions savoir si elle est... si elle est..., demande Yvain.

– Hum... c'est que...

– S'il vous plaît, soldat Lapouge ! On veut savoir ! insistent d'une voix vibrante les trois amis.

Au même moment, flambeau au poing, le capitaine de la garde sort de la cellule ouverte.

– Dites donc, les jeunots, vous voulez une fessée ? grogne-t-il.

Les enfants s'enfuient aussitôt...

CHAPITRE 7

Le remède de dame Gertrude

Chassés des profondeurs du donjon, les trois amis vont s'asseoir sur la margelle du puits au fond de la cour, pour réfléchir et pousser de longs soupirs.

– Qu'est-ce qu'on va faire ? s'interroge Yvain.

– Si ça se trouve, il l'a tuée sur place, suggère Jean.

– Non, impossible ! Nous aurions trouvé des traces de sang sur le sol, objecte Aliénor.

– Alors peut-être qu'il l'a d'abord attrapée et qu'il l'a emmenée quelque part… dit Yvain.

– Et il l'a donnée à maître Fougasse pour en faire du pâté… dit Jean.

– Assez ! C'est toujours pareil : les garçons, quand ils ne savent pas, ils inventent n'importe quoi pour faire les intéressants…

– Et les filles ! Elles racontent jamais de sottises, peut-être ? se rebiffe Yvain.

Une voix forte résonne dans la cour.

– Damoiselle Aliénor ! Venez, je vous prie, prendre votre leçon de luth.

La gouvernante, penchée à une fenêtre, agite une de ses grosses mains roses.

– Peste et crottin ! Je croyais qu'elle m'avait oubliée, maugrée la fillette.

– Allez, petite rebelle, au galop ! au galop !

Aliénor pénètre en traînant les socques dans l'appartement de sa gouvernante.

– Oh, quelle triste mine ! l'accueille cette dernière qui s'est installée dans son large fauteuil. Vous n'aimez pas le luth ?

– A la folie, répond la fillette d'une voix sourde.

– Asseyez-vous là et dites-moi ce qui ne va pas.

Aliénor s'assoit… et éclate en sanglots. Dame Gertrude fronce ses sourcils blonds :

– Oh ! Il va falloir que j'aille chercher un remède anti-chagrin…

– Un pui… un pui… un puissant alors ! hoquette la malheureuse.

– J'en connais un radical. Ne bougez pas, je reviens.

La femme traverse la pièce pour ouvrir une petite porte donnant sur un cabinet de toilette. Sans y pénétrer, elle appelle :

– Viens, ma jolie. N'aie pas peur, je t'ai amené une amie.

Aliénor cesse d'un coup de pleurer. Les yeux écarquillés de stupeur, elle voit apparaître Zyeux d'or, la queue entre les jambes, les oreilles basses. Découvrant la fillette, la louve se couche et pousse de petits gémissements de bonheur. Aliénor se prend le visage à deux mains :

– Zyeux d'or ! Oh, comme je suis heureuse ! Merci, dame Gertrude, merci !

La gouvernante explique alors comment l'animal est arrivé dans son logement :

– Je vous ai observés de loin, vous et vos deux compagnons, et je me suis très vite rendu compte que vous maniganciez quelque chose. J'étais loin d'imaginer de quoi il s'agissait, lorsque le soldat Lapouge est venu me voir. Sachant qu'il pouvait me faire confiance, il m'a raconté que dans le Vieux donjon vous aviez caché une mystérieuse amie. J'ai accepté d'aller voir avec lui l'amie en question. D'abord, j'ai eu très peur, mais après deux jours, Zyeux d'or m'a adoptée. Le soldat, par contre…

– C'est elle qui l'a mordu ?

– Oui, lorsqu'il m'a aidée à la ramener dans mon logement. Ce ne fut pas simple, croyez-moi, et pourtant elle était très fatiguée, presque morte car sa blessure la faisait beaucoup souffrir. Je l'ai nourrie, j'ai soigné sa patte avec des herbes. Et puis voilà, après sept jours, elle va beaucoup mieux comme vous voyez…

– Eh oui ! Mais… vous lui avez enlevé son attelle ? s'étonne la fillette. N'est-ce pas un peu tôt ?

– Non, car elle n'avait pas la patte cassée, seulement blessée. Aussi, maintenant, elle trotte comme une petite fille…

J'aimerais lui rendre la liberté, mais pour cela je vais avoir besoin de vous, gentille Aliénor, et de vos amis pages.

– Assurément, vous pouvez compter sur nous !

– Je sais. Alors voilà, maintenant que Zyeux d'or est à peu près rétablie, il ne sera pas aussi facile de la transporter comme l'autre jour, roulée dans une couverture. J'ai essayé ce matin, elle s'est débattue comme une diablesse.

– Il faudrait la mettre dans une cage, dit Aliénor.

– J'ai déjà réfléchi à cette solution. Hélas, c'est impossible ; il faut être très discret pour ne pas se faire prendre. Mon idée est de tenir Zyeux d'or en laisse. Cela, elle l'accepte, j'ai vérifié. Dans la pénombre du soir, on pourra la prendre pour un chien. Ensuite, pour la faire sortir du château, le plus simple sera de passer par le pont-levis, peu avant qu'on le lève…

– Et le souterrain ? Celui qui part de l'ancien château ?

– Trop dangereux ! J'ai entendu dire qu'il n'était plus entretenu depuis des années. Non, il faudra distraire le nouveau portier, tandis que l'un de nous franchira le pont-levis avec Zyeux d'or. Il se dépêchera de libérer la louve et reviendra vite.

– Mais… c'est dans la forêt qu'il faudra la ramener.

– Ce n'est pas nécessaire, elle trouvera le chemin toute seule. Sa famille l'attend, vous savez. On l'entend parfois qui hurle à la lisière du bois. Vous verrez, Aliénor, Zyeux d'or ne mettra pas longtemps à la rejoindre.

La fillette soupire en imaginant la scène d'adieu…

– Je vais prévenir Jean et Yvain ! annonce-t-elle brusquement. Si vous le permettez, dame Gertrude ?

– Faites, et revenez vite prendre votre leçon de luth.

Aliénor lui saute au cou pour l'embrasser et s'éclipse en filant comme un lapin…

CHAPITRE 8

Zyeux d'or disparaît dans la nuit

Au crépuscule, Aliénor, Jean et Yvain se retrouvent chez la gouvernante. Le soleil est couché depuis peu, incendiant l'horizon.

– C'est bien, les enfants, vous êtes à l'heure. Zyeux d'or est très nerveuse ; elle doit sentir le départ.

– Nous aussi, nous sommes nerveux, avoue Aliénor.

– Non, moi ça va, fanfaronne Yvain.

– Lui, il ne se rend pas compte qu'il est nerveux, ironise Jean, parce que c'est son état naturel, comme de dire des bêtises.

Yvain le fixe d'un regard sévère, mais se garde de répliquer devant la gouvernante.

– Qui tiendra la louve ? demande dame Gertrude.

Les trois enfants lèvent la main. Yvain lève sa deuxième main.

– Entendu, ce sera toi, dit la femme en désignant le chevalier Flamboyant qui saute de joie. Du calme, mon petit. C'est une affaire sérieuse, car si l'on nous surprend à nous promener avec une louve, vous imaginez la panique… Je crois que nous pouvons y aller. Aliénor et moi nous distrairons le portier, tandis que vous, les pages, vous vous faufilerez dehors avec Zyeux d'or. Compris ?

– Compris, dame Gertrude ! répondent les enfants d'une seule voix.

L'expédition commence. Il faut d'abord descendre un escalier en colimaçon, presque obscur en raison de la nuit tombante. Bien que terrorisée, la louve se laisse docilement guider. Dame Gertrude ouvre une porte avec précaution, jette un regard dans le long couloir jalonné d'armures.

– Personne ! Allons-y !

La petite troupe marche d'un pas rapide, car c'est un moment périlleux. A tout instant quelqu'un peut surgir d'une des portes à gauche. A droite, la lune filtre par d'étroites fenêtres. Soudain la louve s'immobilise et montre les crocs.

– Ah non, Zyeux d'or, c'est pas le moment de s'arrêter ! dit Yvain en tirant sur la corde.

– Qu'est-ce qui se passe ? s'inquiète Aliénor.

La louve se couche et tourne des regards affolés dans toutes les directions.

– Elle a senti quelque chose… ou quelqu'un, déduit Jean.

Une porte s'ouvre brutalement, libérant un éclat de rire féminin et la lumière dansante d'un flambeau. Un chevalier et une dame apparaissent, éclairés par un serviteur. Ils s'immobilisent en découvrant la gouvernante et les enfants.

– Dame Gertrude, vous ici ? s'exclame le chevalier.

– Mais quel genre de leçon donnez-vous donc à ces jeunots ? interroge la dame.

– Aucune leçon. Il s'agit juste d'un petit jeu, répond la gouvernante embarrassée.

– On joue à se faire peur ! lance Aliénor, ou plutôt à ne pas avoir peur dans le noir.

– Quel jeu ridicule ! fait la dame en s'éloignant au bras de son chevalier qui sourit à belles dents.

– Ouf ! repartons, murmure la gouvernante.

Alors surgit par la porte restée ouverte une minuscule silhouette pâle. Elle s'immobilise au milieu du couloir.

– Titan ! s'exclame Jean.

« Kaïe ! Kaïe ! Kaïe ! » aboie le jeune lévrier et s'enfuyant à toute vitesse. Les enfants n'ont pas le temps d'en sourire ; Zyeux d'or déguerpit à son tour, dans l'autre sens. Yvain se laisse surprendre, la corde lui glisse des doigts.

– Zyeux d'or ! appelle-t-il.

– Vite ! Rattrapons-la ! s'écrie Aliénor.

– Oh mon Dieu ! Si on la voit, c'est la catastrophe ! se lamente dame Gertrude.

Relevant sa robe pour courir plus vite, elle se lance à la poursuite de la fugitive.

Dans sa hâte, elle bouscule une armure qui s'écroule dans un vacarme épouvantable. Des gardes ne tardent pas à apparaître.

– Ce n'est rien, ce n'est rien ! assure la gouvernante.

Des cris retentissent dans la cour :

– Au loup ! Au loup ! Un loup est entré dans le château !

La gouvernante se prend la tête à deux mains, c'est bien la catastrophe !

Dans la cour, elle rejoint ses trois complices. Ils essaient de calmer le portier qui vient de crier au loup.

– Mais puisque je vous dis que je l'ai vu ! insiste le soldat.

– C'était un chien, notre nouveau chien ! jure Yvain.

– Oui, on vient juste de l'adopter ! confirme Jean.

– Un chien ? fait le portier, troublé. Un chien-loup alors !

- Tout juste ! confirme Gertrude.

Voyant le soldat sourire, elle soupire. Quand un guetteur s'écrie du haut des remparts :

– Là, je le vois ! Dans le potager ! C'est bien un loup, un loup énorme ! Au loup ! Au loup ! hurle-t-il.

Le seigneur de Montcorbier et d'autres visages apparaissent un peu partout aux fenêtres. L'incroyable nouvelle se répand comme un incendie dans un tas de foin.

– Vite, les enfants, il faut trouver Zyeux d'or avant les soldats ! dit la gouvernante. Aliénor, vous resterez avec moi. Les garçons, cherchez de votre côté. Les premiers qui retrouvent Zyeux d'or… hum, voyons, l'amènent dans ma chambre. Allez !

CHAPITRE 9

Les crocs de la nuit

La forteresse de Montcorbier est vaste, avec un superbe jardin d'agrément, un potager, des bâtiments pour la garnison, les serviteurs et leur famille… C'est un véritable labyrinthe de chemins de terre, de passages couverts et de courettes qu'il faut fouiller. Il va falloir aussi inspecter toute la partie ancienne du château où s'élève le Vieux donjon ; là encore, les recoins ne manquent pas pour se cacher.

Quantité de flambeaux circulent en tous sens, au sol comme sur les remparts. Les appels, les commentaires et parfois les rires résonnent dans la nuit, ce qui doit ajouter à la terreur de la louve.

Après une demi-heure de vaines recherches, un soldat bat le rappel :

– Il est là ! Il est là ! Dans le potager ! J'ai vu ses yeux horribles ! Par ici !

Dame Gertrude et Aliénor arrivent en courant sur les lieux, mais déjà une dizaine de soldats se sont positionnés en arc de cercle, arbalète à l'épaule. Ils visent l'entrée d'une profonde cavité dans l'épaisseur du rempart. Les jardiniers s'en servent de réserve pour leurs outils.

– Ne tirez pas ! s'écrie la gouvernante. Il faut le capturer vivant.

– Et pourquoi donc ? demande un sergent moustachu.

– Eh bien... parce que ! répond la femme embarrassée.

– Parce que ça porte malheur ! lance Aliénor.

– Ah ? fait l'officier, perplexe. Jamais entendu dire ça !

– Regardez, il est là ! s'écrie un de ses hommes.

Effectivement, tout au fond du réduit, deux yeux en amande brillent à la lumière des torches.

– Faudrait qu'il sorte pour être sûr de ne pas le rater, dit le sergent.

– Laissez-moi faire, je vais aller lui parler ! annonce tout à coup Aliénor.

L'officier et les soldats dévisagent la fillette, puis éclatent de rire.

– Qu'est-ce que tu racontes, fillotte ? Un loup, c'est pas comme un petit chien, tu sais, déclare le sergent.

– Évidemment, je sais ! Pour qui me prenez-vous ? réplique Aliénor.

– Je pense, chère Aliénor, que le sergent a un peu raison, dit Gertrude qui croit la situation de la louve désespérée. Nous ne pouvons pas faire autrement que prier afin que cette histoire se termine bien…

– Laissez-moi faire, vous dis-je ! Je sais comment m'y prendre avec les loups, insiste l'enfant.

– Attendons au moins sire Hubert, propose dame Gertrude pour gagner du temps.

– Certes. Mais si la bête sort de ce trou, nous l'abattrons, conclut le sergent.

Aliénor fronce les sourcils, serre les poings, prend sa respiration et tout à coup s'élance vers le rempart. Un soldat tente de l'intercepter. Raté ! Il la poursuit, pénètre sur ses talons dans la remise. On entend un fracas d'outils bousculés, puis Aliénor qui s'exclame :

– Poussez-vous, vous lui faites peur !

– Mon Dieu, faites quelque chose ! implore la gouvernante.

Mais déjà Aliénor reparaît, serrant contre elle… un matou !

De leur côté, les pages ne ménagent pas leurs efforts pour retrouver Zyeux d'or. Munis d'une torche, ils inspectent jusqu'aux recoins les plus étroits, où seuls des enfants pourraient se glisser… ou une louve. Fatigués et découragés, ils s'assoient sur le perron d'une habitation.

– Je me demande bien où elle a pu se cacher, maugrée Yvain le menton calé dans ses mains.

Jean bâille à s'en décrocher la mâchoire.

– Mmm, moi aussi, marmonne-t-il.

Ils sursautent en entendant résonner tout près la voix d'une jeune femme :

– Jean ! Jean de Jansac ! Où êtes-vous ?

– Parbleu, Suzon ! Elle me cherche pour m'envoyer au lit, dit le garçon en se levant d'un bond.

Suzon est l'une des servantes de son maître, le chevalier de la Courtinière.

– Si ça peut te rassurer, Lisette doit pareillement me courir après, dit Yvain.

– Il ne faut pas qu'elle me trouve. Éloignons-nous !

– Par où ?

– Je ne sais… Le Vieux donjon !

– Jean ! Je vous vois ! s'exclame Suzon.

Deux petites silhouettes disparaissent furtivement dans une galerie au fond de la courette.

Les garçons arrivent tout essoufflés devant la masse sombre du Vieux donjon.

– On ferait peut-être mieux de rentrer, dit Jean, je n'ai guère envie de me faire à nouveau punir.

– Hum, on ferait mieux, approuve mollement Yvain.

Il commence lui aussi à sentir la lassitude peser sur ses jambes et son moral.

Ils décident d'interrompre leurs recherches, quand un petit bruit attire leur attention. Ils se retournent, échangent un regard… Cela vient de l'intérieur du donjon. D'un même élan, ils se précipitent dans la bâtisse. Ils gagnent le premier étage par l'escalier en colimaçon… La porte de la petite chambre est entrouverte. Ils passent prudemment la tête… Elle est là qui tourne en rond en émettant des gémissements de détresse.

– Zyeux d'or, appelle doucement Yvain.

Ils entrent dans la pièce, mais la louve se met aussitôt en position d'attaque. Babines retroussées, elle montre ses crocs effrayants. Les enfants reculent.

– C'est nous, Zyeux d'or, tu ne nous reconnais pas ? fait Jean qui tient le flambeau.

En réponse, la louve attaque…

CHAPITRE 10

Des yeux dans la nuit

Un peu plus tard dans la nuit, le seigneur de Montcorbier réunit son conseil dans la grande salle du château. L'un de ses chevaliers, pestant d'avoir dû quitter son lit, lance avec force :

– Ce portier est un soûlard ! Tout le monde sait cela. Il aura pris un cabot pour un loup.

– Sire Thibault a raison, retournons nous coucher, la bouffonnerie n'a que trop duré, déclare à son tour le chevalier de la Courtinière.

– C'est un peu mon avis, reconnaît le seigneur avec calme, toutefois je laisserai la garde en alerte jusqu'à demain.

Suzon et Lisette entrent à cet instant dans la salle. Elles approchent timidement du châtelain qui d'un geste leur donne la parole :

– Monseigneur, votre page Yvain de Lavandor a encore disparu, annonce Suzon. Mais cette fois, je l'ai vu s'éclipser dans la nuit avec son polisson de compagnon, Jean de Jansac.

– Je confirme, dit Lisette.

– Oui, bon, nous verrons, lâche le seigneur trop fatigué pour se mettre en colère.

Un soldat fait alors irruption en s'écriant :

– Le loup a dévoré un enfant !

– Quoi ? Que dis-tu ?

– Nous avons trouvé des ossements dans une chambre de l'ancien donjon.

– Voyons, il ne peut s'agir des restes d'un enfant, essaie de se rassurer un chevalier.

– Pour sûr, messire, c'en est ! Certes, on voit des os de poulet éparpillés sur le sol, mais il y en a d'autres beaucoup plus grands. La bête a dû gîter dans ces ruines...

Le seigneur se lève brutalement de son siège :

– MAUDIT LOUP ! ! ! hurle-t-il en brandissant sa dague de chasse. Qu'on me ramène sa peau dans l'heure ou je fais un malheur !

A nouveau, le château entre en ébullition. Les pages, que l'on croit avoir été victimes de l'appétit du monstre, sont en pleine forme, mais bien malin qui pourrait les trouver... Tout à l'heure, dans la chambre du Vieux donjon, ils ont cru que Zyeux d'or allait leur sauter à la gorge. Ce n'était qu'un simulacre d'attaque, car la louve avait tout simplement peur de la torche de Jean. Aussitôt les flammes éloignées de sa vue, elle était redevenue calme et affectueuse.

– Qu'est-ce qu'on va faire de toi, ma belle ? avait dit Jean.

– Il existe une solution pour sortir du château, et tu sais laquelle... avait déclaré Yvain.

Jean avait gardé le silence : il songeait lui aussi au vieux souterrain. Il permettait autrefois, en cas de siège, de quitter discrètement l'ancienne forteresse. Mais, en l'absence d'entretien, cette étroite galerie est devenue un vrai piège à rats. Si la situation n'avait pas si mal tourné, jamais ils n'auraient eu cette idée. Malgré le danger, ils n'ont pas longtemps hésité : « La mort plutôt que d'abandonner Zyeux d'or ! » ont-ils juré haut et fort, tels deux chevaliers prêtant serment de fidélité.

Les voici donc dans le ténébreux tunnel, progressant la peur au ventre. Toujours porteur de la torche, Jean ouvre la marche tandis qu'Yvain mène Zyeux d'or par la laisse, la caressant et la rassurant par de douces paroles dès qu'elle s'arrête. A plusieurs reprises, ils doivent escalader des éboulis. Partout l'eau suinte, rendant les murs visqueux et l'atmosphère glacée.

– C'est encore loin ? demande Yvain.

– Comment veux-tu que je le sache ? Je ne suis jamais venu ici.

La tension monte à chaque pas, jusqu'au moment où Jean trébuche et s'étale dans la boue. La torche s'éteint.

– Maladroit ! Comment va-t-on faire maintenant ? s'emporte son compagnon.

– Je… je ne l'ai pas fait exprès, bredouille Jean. Aurais-tu peur, chevalier Flamboyant ?

– Peur, moi ? Jamais ! Repartons.

C'est le moment que choisit Zyeux d'or pour faire entendre sa voix :

– OÜÜÜÜHHH ! ! ! OÜÜÜÜHHH ! ! !

En surface, dans les ruines de l'ancien château, le seigneur de Montcorbier et le chevalier de la Courtinière, tenant chacun un flambeau, s'immobilisent.

– Entendez-vous, sire Hubert ?

– On aurait dit que cela venait des entrailles de la terre.

Le chevalier se signe et lâche d'une voix blanche :

– Le diable a emporté nos pages en enfer…

Au même moment, Aliénor pénètre dans la chambre de sa gouvernante, pieds nus, en chemise.

– Dame Gertrude ?

– Hein ? Hum... Qu'y a-t-il, Aliénor ?

– Je n'arrive pas à dormir.

– Pauvre petit oisillon. Venez, je vais vous chanter une berceuse de mon pays.

Aliénor se précipite dans le lit de la dame où elle laisse éclater son pesant chagrin.

Yvain et Jean aimeraient sûrement qu'on leur chante aussi une berceuse. Car ils ne sont pas près de voir le bout du tunnel. Progressant à tâtons, s'entravant dans des gravats, il s'efforcent de garder leur sang-froid. Pourtant, de sinistres pensées finissent par occuper leur esprit :

– Yvain ?

– Oui ?

– As-tu peur de la mort ?

– Non, et toi ?

– Non, bien sûr que non… en général, précise Jean tout bas.

Il se fait un silence, puis le page demande d'une voix tremblante :

– Parce que tu crois qu'on va mourir ?

– Non, bien sûr que non… enfin, je ne crois pas… pas tout de suite. Oooh !

– Qu'est-ce qui t'arrive ?

– Zyeux d'or ! Zyeux d'or tire sur la corde ! répond Yvain.

– Elle a peut-être senti la sortie, dit Jean. Lâche-la.

– Oui, c'est ça ! Regarde, droit devant ! s'écrie Yvain.

Une faible lueur dans le lointain indique la fin de leur cauchemar. Ils finissent par atteindre un remblai qui obstrue aux trois quarts la sortie du tunnel. Ils l'escaladent, franchissent un rideau de lierre et peuvent enfin respirer l'air libre à pleins poumons. Ils dansent, rient et chahutent de bonheur… Mais Yvain se calme brusquement :

– Jean, écoute.

Le garçon se fige. Autour d'eux, la forêt bruit de piétinements. Ils voient une dizaine de paires d'yeux luisants fixées sur eux…

– Ça mange quoi un loup ? demande Yvain.

CHAPITRE 11

Épineux problème

Aliénor est réveillée dès l'aube par un remue-ménage dans la cour. Elle se lève pour rejoindre sa gouvernante penchée à la fenêtre.

– Que se passe-t-il ? demande-t-elle.

– Je crois que votre père part à la chasse au loup, répond la dame.

– Quoi ? Non, il ne faut pas !

La fillette quitte la chambre pour aller s'habiller. Elle surgit dans la cour alors que le seigneur de Montcorbier monte en selle. Son écuyer lui tend un épieu.

– Père, qu'allez-vous faire ?

– Je vous vois debout de bien bon matin, ma fille.

– Emmenez-moi !

– Malheureusement, je ne pars pas pour une chasse ordinaire. Je vais affronter une bête du diable. Alors restez ici et priez pour nous, nous en aurons besoin.

Des valets apportent les plus féroces chiens de chasse du maître. Ces mâtins baveux sont équipés de larges colliers cloutés qui protègent leur gorge. Aliénor court en larmes se réfugier dans le logis seigneurial.

A peu de distance du château, dans la sombre forêt, Jean et Yvain sommeillent adossés à un tronc. La louve s'approche et doucement les réveille à petits coups de langue sur le nez.

– Oh ! Zyeux d'or ! dit Jean en souriant, les paupières gonflées de sommeil. Yvain, réveille-toi, on est vivants !

– Hein ? Ah oui ! Tant mieux !

Les enfants éclatent de rire, mais tout à coup se taisent en découvrant la horde de loups qui les observe craintivement à distance.

– Il va falloir songer à rentrer, dit Yvain en se levant et en s'étirant.

– Sans doute, mais je ne suis pas pressé de me faire allonger les oreilles.

– Moi non plus, mais j'ai comme une petite faim. Si tu veux, tu restes ici. Quand ma punition sera finie, d'ici une semaine ou deux, je viendrai t'apporter... voyons, une poule !

Les enfants éclatent de rire à nouveau.

Ils admirent encore un moment les loups, quand Zyeux d'or met sa horde en alerte. Des profondeurs de la forêt résonnent des aboiements.

– C'est mon maître, à n'en pas douter, dit Yvain.

– Et le mien doit en être, enchaîne Jean.

– Peut-être nous cherchent-ils ?

– Et Zyeux d'or... pour la tuer.

Sans prévenir, la horde déguerpit. Déçus et inquiets, les chevaliers en herbe la regardent s'éloigner puis disparaître entre les troncs.

– Et voilà, soupire Jean, une affaire qui finit plus ou moins bien.

– Hum... plus ou moins bien, répète son camarade aussi tristement.

Ils commencent à prendre le chemin du retour, traînant la semelle, quand la horde menée par la louve reparaît.

– Zyeux d'or ! s'exclame Yvain.

Elle vient se coucher à ses pieds, comme pour implorer l'aide des petits humains. Au loin des cris retentissent.

– Il faut nous cacher… dans le souterrain ! propose Jean.

– Bonne idée ! Vite les amis !

L'entrée du tunnel, en partie obstruée et masquée de lierre, est quasiment invisible. C'est bien la cachette idéale… à condition que les chiens ne la repèrent pas. Avant peu, le seigneur de Montcorbier et ses chevaliers surgissent, impressionnants comme une troupe de guerriers. Au loin, les chiens en furie sont encore tenus en laisse par les valets qui ne les lâcheront qu'une fois la bête repérée.

– Il y a des traces partout, monseigneur ! s'écrie un homme. La horde doit compter au moins dix loups !

– Mordieu, elles ne doivent pas être loin, ces maudites bêtes ! maugrée le seigneur.

– Il faudrait revenir sur nos pas, suggère un chevalier, je pense que nous avons manqué la piste vers le ruisseau…

A l'entrée de la galerie, allongés sur le monticule, les pages observent la scène. Ils retiennent leur souffle… enfin les chasseurs repartent.

– Ouf ! J'ai eu une de ces peurs, dit Jean en roulant sur le dos.

Yvain regarde en arrière.

– Jean ?

– Oui ?

– Les loups…

– Oui ?

– Ils ont disparu !

En milieu de matinée, dans sa chambre où elle tourne en rond, dévorée d'inquiétude, Aliénor reçoit un curieux visiteur. Agé d'à peine cinq ans, fils d'un des serviteurs du château, il délivre son message les mains dans le dos :

– Le chevalier Flam-boilant… Flandoimant…

– Flamboyant ! l'aide la fillette.

– Heu, oui ! et le chevalier Noir vous font dire que… heu…

– Que quoi ?

Le garçonnet réfléchit, l'index sur la bouche.

– Je sais plus, finit-il par avouer.

– Où les as-tu vus ?

– Vers le Vieux donjon…

Aliénor pousse un cri de joie, embrasse le garçonnet, puis quitte sa chambre en trombe. Elle se rend directement dans la partie ancienne de la forteresse. Jean et Yvain l'attendent dans la salle de garde, au rez-de-chaussée du

Vieux donjon. Ils sont couverts de boue, ébouriffés, affamés, mais en bonne santé.

– D'où sortez-vous donc ? demande la fillette, impressionnée.

– Plus tard, les explications, dit Jean, il faut qu'on te montre quelque chose...

Ils conduisent leur amie au premier étage et la font entrer dans la chambre.

– Oh, là, là ! se lamente Aliénor en agitant les mains.

Une dizaine de loups la fixent de leurs yeux luisants.

ÉPILOGUE

Le portier Lapouge, averti par des bruits de charroi, sort de son logement sous le châtelet d'entrée. Il ouvre de grands yeux stupéfaits en découvrant le chariot bâché qui se présente sous la herse pour quitter le château.

– Ben ça ! Où donc que vous allez comme ça, dame Gertrude ?

– Je vais voir une vieille tante malade, répond la forte femme qui conduit l'attelage.

– Ha ? Vous avez une tante ?

– Eh bien oui, pas vous ? répond la gouvernante en lui adressant un clin d'œil.

Elle fait repartir l'attelage.

– Hé ! Hé ! fait le portier en clignant de l'œil à son tour.

Trois visages d'enfants souriants apparaissent brièvement à l'arrière de la charrette pour le saluer…

Le soir venu, les chasseurs rentrent bredouilles de leur traque au démon. Tandis qu'ils ruminent leur déception dans la grande salle en attendant le repas, Jean et Yvain reçoivent la visite d'Aliénor et de dame Gertrude. Ils ont été consignés pour quinze jours dans la plus haute chambre du donjon, en punition de leur seconde fugue nocturne. Mais qu'est-ce qu'une punition en regard du bonheur de savoir leurs amis les loups libres et heureux ? Pour exprimer leur joie, ils poussent d'une même voix un long OÜÜÜÜHHH ! ! ! Puis ils éclatent de rire.

Le seigneur de Montcorbier se redresse dans son fauteuil.

– Avez-vous entendu ?

Très loin, dans la forêt, résonne le hurlement de reconnaissance de la horde aux yeux d'or :

– OÜÜÜÜHHH ! ! !

FIN…

Arthur Ténor est né en 1959 en Auvergne, où il vit toujours. Il est formateur et écrit également des livres pour enfants. Sa passion de l'écriture est semblable à celle d'un aventurier en quête de contrées inconnues et de péripéties palpitantes. Arthur Ténor aime se définir comme « un explorateur de l'imaginaire ». Aux Éditions Gallimard Jeunesse, il a publié la série des Chevaliers en herbe (Folio Cadet), *Jeux de surprises à la cour du Roi-Soleil* (Drôles d'aventures), *Guerre secrète à Versailles* (Hors-piste) et *Il s'appelait... le Soldat inconnu* (Folio Junior).

Denise et **Claude Millet** ont fait leurs études aux Arts décoratifs de Paris. C'est là qu'ils se sont rencontrés et qu'a commencé leur collaboration. Depuis, ils ont travaillé pour la presse, la publicité et ont illustré de nombreux livres pour enfants. Ils remplissent souvent leurs carnets de croquis pris sur le vif et aiment particulièrement les histoires pleines d'humour et de tendresse. Tout en continuant à illustrer les romans d'Arthur Ténor, ils collaborent à de la collection Mes Premières Découvertes et ont participé à l'élaboration du *Grand Imagier*, également publié chez Gallimard Jeunesse.